郑栗儿/著
简汉平/绘

大师密码 A-Z系列

大师密码G

大富翁的心愿

人民东方出版传媒
People's Oriental Publishing & Media
東方出版社
The Oriental Press

图书在版编目（CIP）数据

大师密码 . G, 大富翁的心愿 / 郑栗儿著 ; 简汉平绘 . —北京 : 东方出版社 , 2015.10
ISBN 978-7-5060-8699-8

Ⅰ. ①大… Ⅱ. ①郑… ②简… Ⅲ. ①儿童故事—作品集—中国—当代 Ⅳ. ① I287.5

中国版本图书馆 CIP 数据核字（2015）第 259162 号

大师密码 G：大富翁的心愿
（DASHI MIMA G: DAFUWENG DE XINYUAN）

作　　者: 郑栗儿
绘　　者: 简汉平
产品经理: 张媛媛
责任编辑: 张媛媛
出　　版: 东方出版社
发　　行: 人民东方出版传媒有限公司
地　　址: 北京市东城区朝阳门内大街 166 号
邮政编码: 100706
印　　刷: 小森印刷（北京）有限公司
版　　次: 2016 年 3 月第 1 版
印　　次: 2016 年 3 月第 1 次印刷
印　　数: 1—5 000 册
开　　本: 720 毫米 ×950 毫米 1/16
印　　张: 4.25
字　　数: 39 千字
书　　号: ISBN 978-7-5060-8699-8
定　　价: 18.00 元
发行电话:（010）64258117 64258115 64258112

目 录

出版前言

每个父母都希望孩子未来能出类拔萃，并在孩子的教育问题上倾尽心力。

许多孩子长大后成熟乐观，在社会上如鱼得水，但不少人成年后并不快乐。他们即使地位显赫、经济条件优越，依然郁郁寡欢。带来快乐的因素有很多，其中起决定作用的则是人格。面对同样的问题，不同的人格往往造就不同的结果。

怎样才能培养健全的人格？我们不妨到传统文化中去寻找答案。几千年来，儒、道、佛相得益彰，共同塑造着国人的精神世界。儒家关切社会的治理，道家关怀生命自然状态的保持，而佛家则关心人生痛苦的解除。故此，历史上就有“儒家治世、道家治身、佛家治心”的说法。

今天很多人习惯于将佛教简单理解为一种宗教，有的人甚至认为它是封建迷信。如果去掉宗教的外衣，它其实是一座充满智慧，兼具心理、品德教育功能的文化宝库。

为此，我们从台湾引进了这套“大师密码”A–Z 系列。这套书以 130 个佛教大师的成长故事，体现了 130 个美好的人格特质。沉着、孝顺、无畏、远见……从这些有趣的故事里，孩子们不但可以学会如何获得成功，更能明白如何倾听内心的声音，获得快乐。

这套书结构编排巧妙，集合了台湾优秀的作家及插画师。书中故事生动活泼，插画精美，在台湾广受好评，曾获得台湾“第 27 次中小学生优良课外读物推介”。相信它同样会得到大陆青少年朋友的喜爱。

大师的密码　成功的特质

在我还是青少年时，就很喜欢阅读佛教大师的传记故事。可以说，我的人格就是从阅读大师的史传故事，点点滴滴建立起来的。

不论大人、小孩都喜欢读故事，法鼓文化历时两年的筹备，制作了这套有丰富精美插画的“大师密码”A–Z 系列。这套书中，选出 130 个“大师的美好特质”，一个特质就是一个大师故事，让孩子在趣味的故事中自然吸收大师的养分。

我曾指出佛教的高僧必须具有四大条件：持戒清净、修行精进、慈悲济众与护持佛法；如果转换成现代人的语汇，就是自律、认真、宽大、懂得回馈，而这些正是所有成功人士必备的条件。

很多家长以为孩子学佛会变得消极、不具竞争力；如果从大师的四大条件来看，这样的想法完全错误！孩子接触佛法绝对会更积极、健康，能为他们的一生奠定稳固的基础。

大师们的成就绝非偶然，也没有人一出生就是大师，父母应该提供这样的环境，让人格正在成长形塑中的孩子，吸收历代大师们的生命菁华，转化为他们自己的。我相信这一套“大师密码”A–Z 系列，能够成为孩子们成长的助缘！

聖嚴

台湾法鼓山禅修文教体系创办人

大富翁的心愿

大师密码 Giving 布施

给孤独不但是印度憍萨罗国波斯匿王的大臣，更是富可敌国，可以说是集世人所向往的财富、权力于一身。因为他经常帮助孤独无依的人，所以大家就尊称他为“给孤独长者”。

给孤独遇到佛陀后，曾想过该不该出家的问题。佛陀建议他继续维持家人与商人的身份，但是要依佛法行事，放下执着心。给孤独因此成为佛教的在家居士，用他的财力帮助弘法。

给孤独不但很仁慈，也很有智慧。他的儿子原是个让人头痛的人，给孤独巧妙地和他约定：只要听一次佛陀说法，就给他一千个金币。结果没几次，儿子就说不用再给自己钱了，他本人也变成了欢喜布施的人，被称为“小给孤独”。大、小给孤独从此成为乐善好施的最佳搭档。

小档案 给孤独

- 本名：须达多
- 国籍：印度
- 别称：布施第一
- 专长：慈善救济
- 影响：佛教的布施代表人物
- 事迹：不但捐款建“祇树给孤独园”，并带动从国王到下人的布施风气

有位印度先生沿着美丽的花园，边走边数着："一、二、三……"花园里种满了奇花异草，巨大的菩提树朝天空伸着懒腰，羽毛鲜艳的鹦鹉拍着翅膀飞进林子，脚爪差点儿碰掉了他的头巾。但他不以为意，继续数着："九十九、一百……"

原来他在丈量这座园子究竟有多大，看够不够佛陀和他的三百名弟子住在这里。他寻遍全国，好不容易才找到这座最优美宁静的花园。

正在池畔招待大臣用茶的祇陀王子，看见有人出现在他的花园里，不禁脸色大变，问道：“你干吗跑进我的花园里？”

印度先生一听，露出灿烂的笑容：“这花园是您的啊！太好了，能不能卖给我？”

“你以为你是谁啊，随便就可以买走我的花园？我可是尊贵的祇陀王子。”年轻气盛的王子有点儿不高兴。

印度先生还是笑眯眯地回答：“我是商人须达多，大家都叫我给孤独。”

一旁喝茶的大臣，跟着应和：“没错，他就是时常赈灾济贫的给孤独长者，也是我们舍卫城鼎鼎大名的富商。”

给孤独说明来意：“是这样的，我在邻国摩揭陀做买卖时，遇见了一位真正的觉者——佛陀，他所说的佛法非常有道理，让人心生欢喜，我特地邀请他来讲说开悟之道，所以四处寻找合适的道场❶。”

祇陀王子想到这座花园可是父亲波斯匿王特地送给他的，也是他平常游乐玩耍的地方，立刻摇头拒绝：“不行！”

但给孤独不放弃：“拜托您帮帮忙吧！要多少钱都没问题。”

❶ **道场**：泛指寺院。原为佛陀在菩提树下金刚座上的成道处，后来用以指称修行佛道的地方。

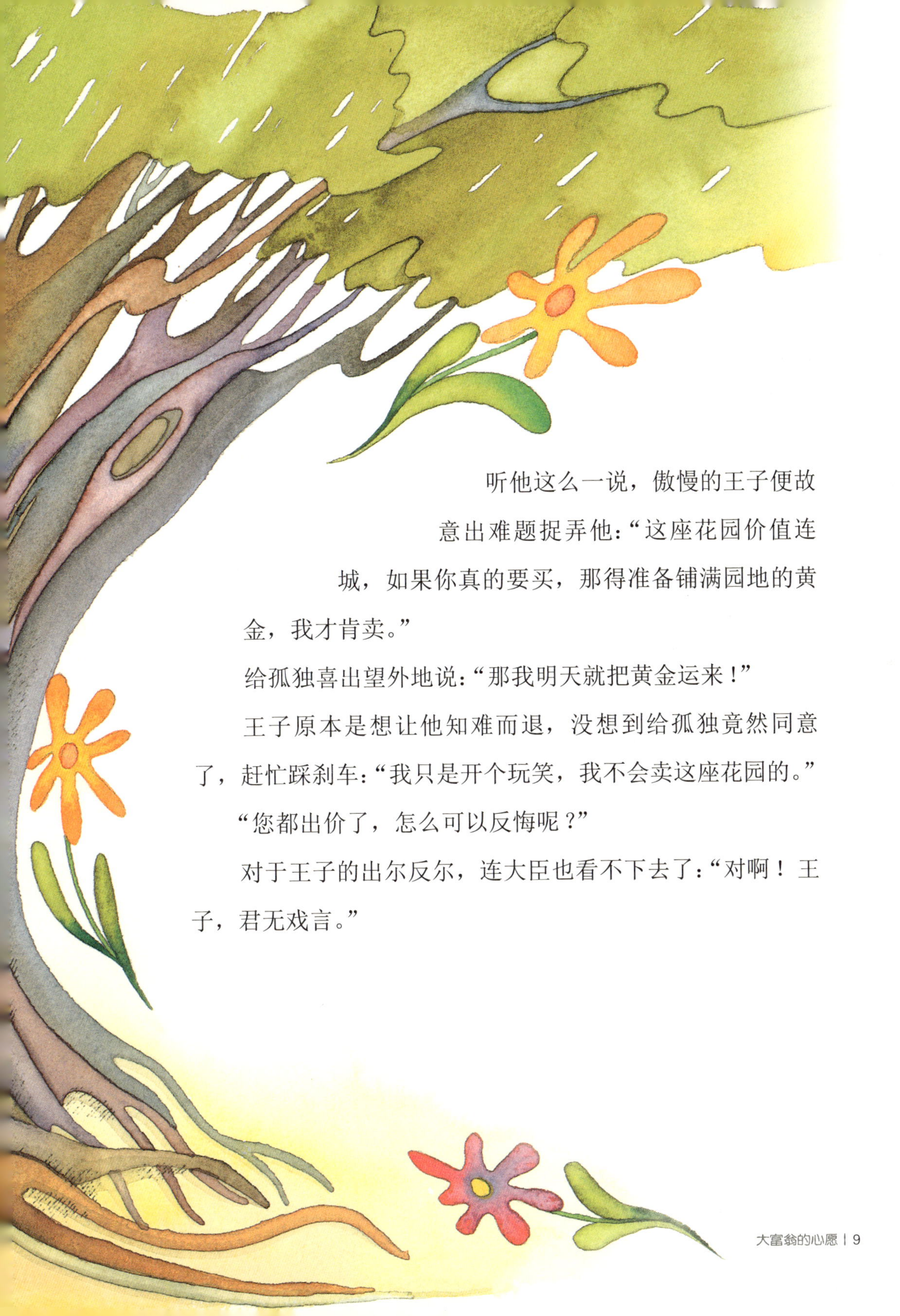

听他这么一说，傲慢的王子便故意出难题捉弄他：“这座花园价值连城，如果你真的要买，那得准备铺满园地的黄金，我才肯卖。”

给孤独喜出望外地说：“那我明天就把黄金运来！”

王子原本是想让他知难而退，没想到给孤独竟然同意了，赶忙踩刹车：“我只是开个玩笑，我不会卖这座花园的。”

“您都出价了，怎么可以反悔呢？”

对于王子的出尔反尔，连大臣也看不下去了：“对啊！王子，君无戏言。”

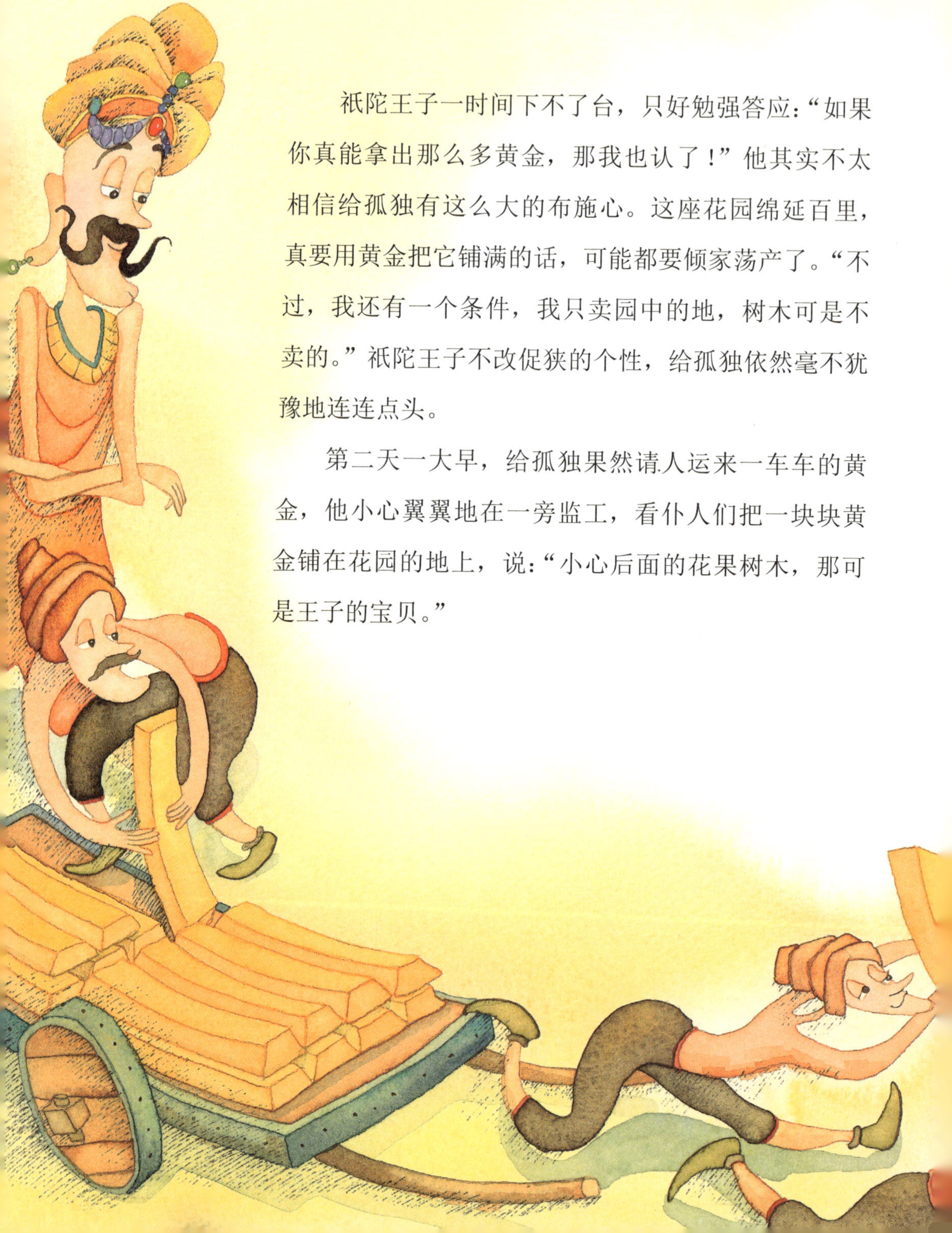

祇陀王子一时间下不了台，只好勉强答应："如果你真能拿出那么多黄金，那我也认了！"他其实不太相信给孤独有这么大的布施心。这座花园绵延百里，真要用黄金把它铺满的话，可能都要倾家荡产了。"不过，我还有一个条件，我只卖园中的地，树木可是不卖的。"祇陀王子不改促狭的个性，给孤独依然毫不犹豫地连连点头。

第二天一大早，给孤独果然请人运来一车车的黄金，他小心翼翼地在一旁监工，看仆人们把一块块黄金铺在花园的地上，说："小心后面的花果树木，那可是王子的宝贝。"

直到日正当中，园中三分之二的绿色草皮已变成一片发亮的黄金地，连祇陀王子看了都忍不住赞叹：“好美啊！”但他更加赞叹的是给孤独给予的心，那位使他乐于付出的佛陀，必然是位很特别的人物，这让他感到十分好奇，于是给孤独为王子讲了许多关于佛陀的故事。

当载运黄金的车子又来时，王子伸手制止：“够了，剩下的土地和满园的树木，就当作是我的赞助。”

给孤独布施的力量感动了王子，他们共同捐助并建造的这座世界上最美的花园精舍，佛陀开心地为它取名为“祇树给孤独园”，也就是著名的“祇园精舍[2]”。

当然，乐善好施，为佛陀僧团尽心尽力的给孤独长者，也是会招人嫉妒的。

❷ **祇园精舍**：位于印度舍卫城，是佛教史上的第二座佛寺，为给孤独长者与祇陀王子共同供养佛陀说法的道场。

有一位施主，看见给孤独每次大手笔的布施供养，忍不住起了好胜心：“每次都是他在出风头，不跟他争个高下，我是不服气的。”

这天，风大浪大，这位暗自展开布施比赛的施主，跑到了波涛汹涌的海边，“咚”的一声，不顾一切地跳下水。他不是想不开，而是潜到深水里寻找藏在贝壳内的珍珠。他游来游去，历尽千辛万苦，终于找到最美的一颗，他整个人高兴得都快变成一条鱼了：“哈哈！有了这颗海洋里最漂亮的珍珠，我一定会赢过给孤独的！”

他兴奋地把珍珠送到僧团，交给了舍利弗。没想到给孤独也跟着出现了，双手一摊，赫然是一颗比他那颗大一倍的珍珠，也更剔透无瑕。

给孤独虔诚地说：“我正在海滩散步，巧遇一只大海龟，嘴里衔着一只巨贝，突然在我脚边停住，把贝壳放下，然后转头就走了。我打开来看，没想到是这么大一颗珍珠，我猜这一定是海龟要送给佛陀的礼物。”

好胜的施主气得脸色发青：“我费了九牛二虎之力，才找到一颗自以为无与伦比的珍珠，没想到给孤独轻松地在海滩散步，就能捡到巨大的珍珠来供奉佛陀。”显然这场比赛他还是输了。

等给孤独离开后，舍利弗看着怏怏不乐的他，关心地问：“施主，您怎么啦？”

他一股脑儿把所有不快统统发泄出来：“为什么我的布施总是输给给孤独呢？”

舍利弗微笑地回答：“不光是你，任何人都很难比得过给孤独的布施，因为他拥有一颗世界上最美的心，也就是全然无私的施舍心，所以能得大福报[3]。在这世界上没有给孤独得不到的宝藏，而他也都乐意捐赠出来。”

[3] **福报**：因行善所得的福德果报。

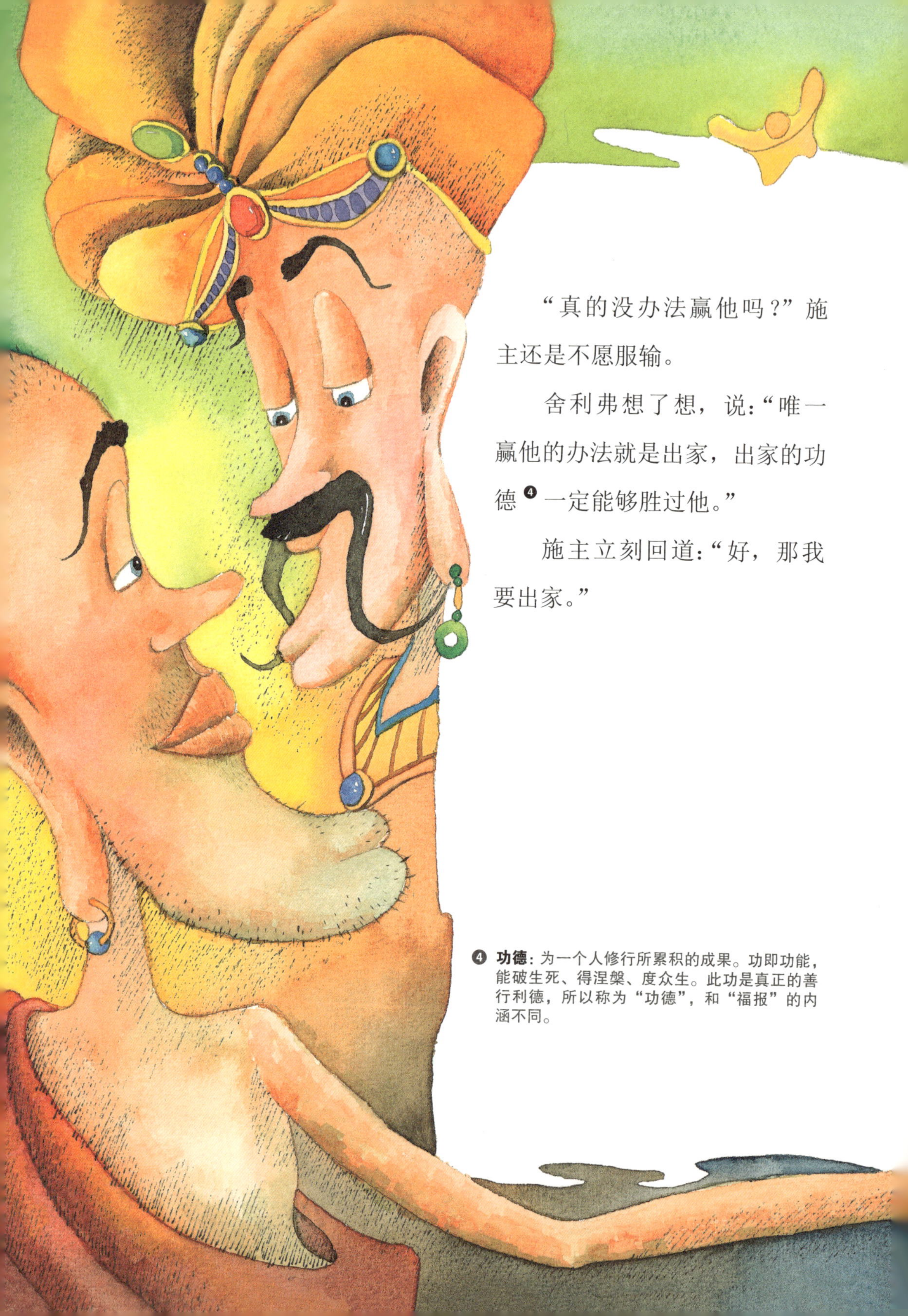

“真的没办法赢他吗？”施主还是不愿服输。

舍利弗想了想，说：“唯一赢他的办法就是出家，出家的功德[4]一定能够胜过他。”

施主立刻回道：“好，那我要出家。”

[4] **功德**：为一个人修行所累积的成果。功即功能，能破生死、得涅槃、度众生。此功是真正的善行利德，所以称为“功德”，和“福报”的内涵不同。

为了胜过给孤独，他果真出家了。直到出家悟道后，他才明白：“世间的万物都是一样重要的，美丽的黄金和可以做燃料的牛粪，其实没有差别”，并真心地忏悔自己过去爱比较的愚蠢。

后来，给孤独听说此事，赶紧跑去对他顶礼[5]，并且发愿说：“在我有生之年，我愿意供养所有饮食财宝给您！”两人相视一笑，化解了一切不快，而出家的施主也终于体会到给孤独所拥有的世界最美的心。

❺ **顶礼**：印度最高级的敬礼。行礼方式为两膝、两肘着地，以头顶行敬礼，承接所礼者的双足。

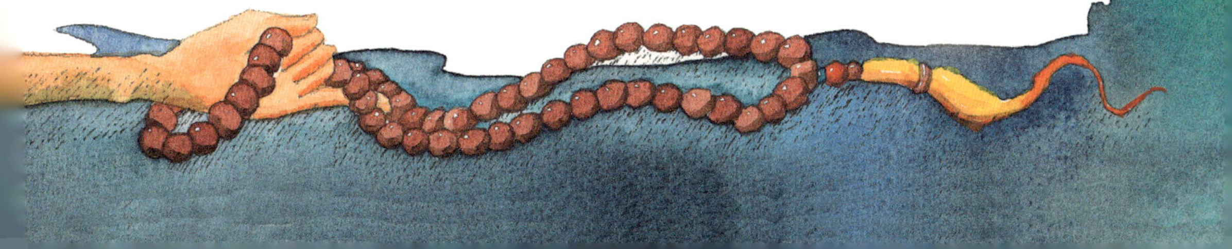

最难打的一场战争

大师密码

Generous 宽宏大量

善无畏从小就聪慧过人，深得父王赏识，才十岁就被任命为军队的统率，十三岁依父王遗命继承王位，成为东印度乌荼国国王。不料两位兄长对他小小年纪就登基大感不服，宣布准备夺位，可善无畏不但原谅了兄长，还自动让位出家。

他在中印度那烂陀寺，拜达摩鞠多为师，学习三密瑜伽，尽得老师真传。后来老师要他到中国传法，他于八十岁抵达中国唐朝的长安后，受到唐玄宗的特别礼遇，被尊为国师。

善无畏为中国密教的重要祖师，翻译与传授了许多密教经典，密教的根本经典之一《大日经》，就是他口述出来的。

这位开启中国密教的先河者，最后以九十九岁的高龄在中国圆寂。

小档案 善无畏

- 国籍：印度
- 别称：开元三大士之首
- 专长：密教、佛画唐卡、工艺
- 影响：为中国密教祖师，翻译出许多重要密教经典
- 事迹：原谅兄长篡位开战

号角吹起，战鼓“咚咚”地急响，放眼中印度乌荼国城外整片无垠的草原，此刻两队军马像蚂蚁一样整齐划一地对峙着，一场声势浩大的战争即将拉开序幕。

带领叛军前来侵犯乌荼国的不是别人，竟然是国王善无畏的两位亲哥哥，他们是为抢夺王位而来的。只见他们脸上杀气腾腾，似乎下定决心要将身为国王的弟弟彻底推翻才肯罢休。

骑着骏马，手执武器，遥立在两人对面，同样率领着成千上万士兵的善无畏，却神色自若，没有丝毫畏惧，也没有一点儿愤怒。他能够体会到哥哥们未能得到江山所产生的怨恨。但是，对于哥哥们的谋反篡位，为了国家和老百姓，他也没有理由不出面迎战。

草原的微风吹过善无畏俊秀、未脱稚气的脸。仔细一瞧，这位领军的国王赫然只是年仅十三岁的男孩。尽管如此，却是一身令人慑服的英气雄姿，让人自然而然地去拥护和爱戴。

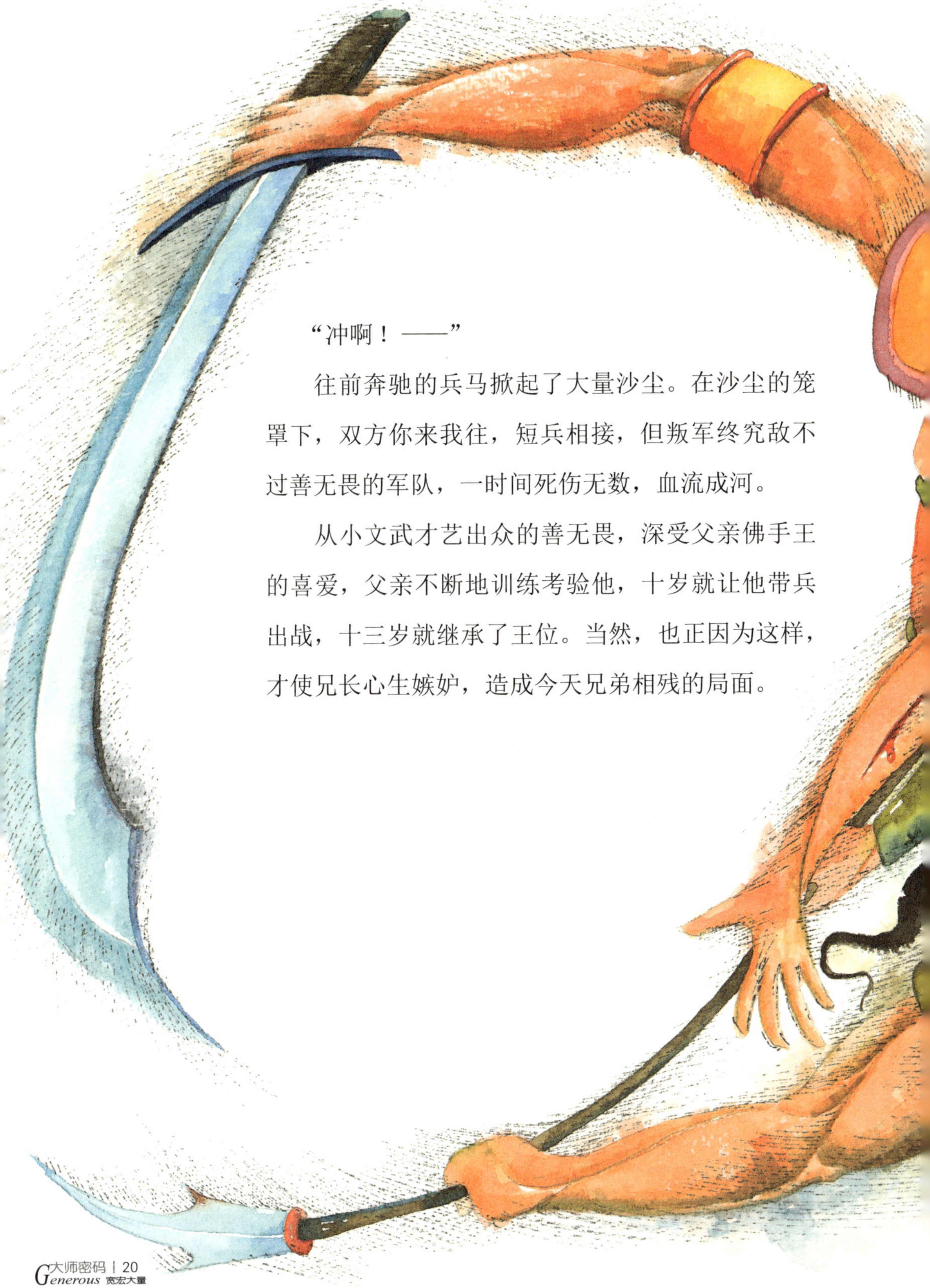

“冲啊！——”

往前奔驰的兵马掀起了大量沙尘。在沙尘的笼罩下，双方你来我往，短兵相接，但叛军终究敌不过善无畏的军队，一时间死伤无数，血流成河。

从小文武才艺出众的善无畏，深受父亲佛手王的喜爱，父亲不断地训练考验他，十岁就让他带兵出战，十三岁就继承了王位。当然，也正因为这样，才使兄长心生嫉妒，造成今天兄弟相残的局面。

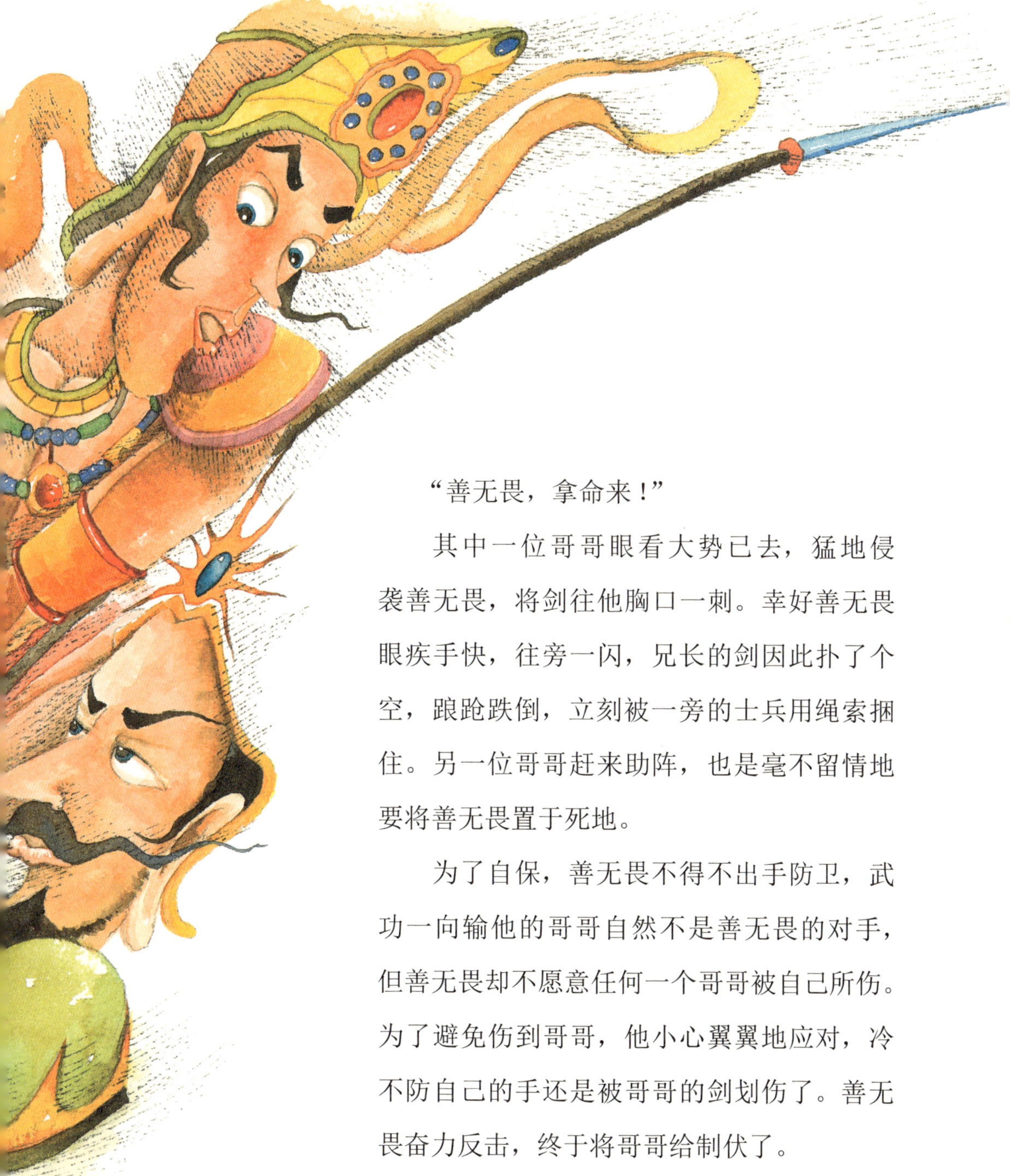

“善无畏，拿命来！”

其中一位哥哥眼看大势已去，猛地侵袭善无畏，将剑往他胸口一刺。幸好善无畏眼疾手快，往旁一闪，兄长的剑因此扑了个空，踉跄跌倒，立刻被一旁的士兵用绳索捆住。另一位哥哥赶来助阵，也是毫不留情地要将善无畏置于死地。

为了自保，善无畏不得不出手防卫，武功一向输他的哥哥自然不是善无畏的对手，但善无畏却不愿意任何一个哥哥被自己所伤。为了避免伤到哥哥，他小心翼翼地应对，冷不防自己的手还是被哥哥的剑划伤了。善无畏奋力反击，终于将哥哥给制伏了。

“哥哥，你们还好吗？”已经负伤的善无畏不顾自己的伤势，只关心哥哥们有没有受伤。两位被制伏的哥哥低着头不发一语。

草原上留下的战争痕迹触目惊心，死伤的战士倒成一片人海，连土地都被染成了红色。善无畏目睹着这种惨状，内心十分难过，他转头对被捆住的哥哥挥刀而落，却不是杀死他，而是将他身上的绳索割开。善无畏感慨地说：“我们原本都是最亲密的伙伴，有什么比我们兄弟之情更重要的吗？我们需要这样互相残杀，造成这么大的牺牲吗？”

哥哥们原以为弟弟会一刀杀了自己，没想到竟然是为自己松绑，再听到善无畏这一番真心告白，不禁心生惭愧：“弟弟，把我们绑起来吧！是我们对不起你。”

但善无畏不肯，他笃定地说：“我们回家吧！你们不是犯人，是我最亲密的哥哥们。”

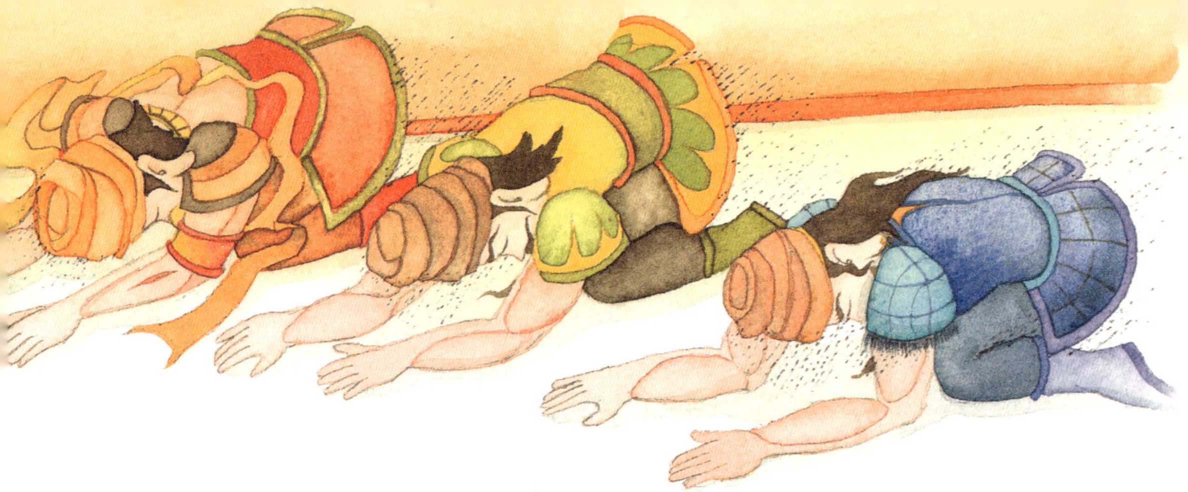

在乌荼国华丽的王宫里，到处弥漫着一股凝重的气氛。善无畏的母后满脸愁容地坐在王位上，前方跪着的是年轻的善无畏，后方则是两位造反的哥哥。面对同样都是自己的孩子，一方是尊贵的年轻国王，另一方则是叛乱分子，母亲的内心纠结不已！

“无畏，你起来，你没有错！”太后让为两位哥哥求情的善无畏起身，但他不同意。

“母后，除非您愿意原谅哥哥们，否则我不起来。”

太后叹了口气说：“这两个不孝的孩子，竟然为了自己的自私和贪婪，而做出伤害国家和弟弟的事，这能原谅吗？”按照军法，这两个哥哥理应被杀，但善无畏却赦免了他们。

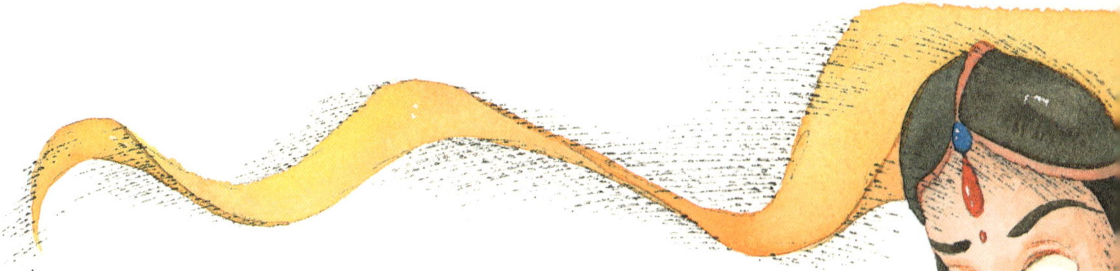

“母后，下次不敢了！请宽恕我们的愚昧吧！”两个哥哥忏悔地说。

“母后，哥哥们真的都悔过了！”善无畏再度为哥哥们求情。

“你们的父亲在天上看你们这样对待弟弟，也一定会伤心的。”太后用手帕擦拭着眼角的泪，“唉！都起来吧！善无畏，看在你宽宏大量的份儿上，我决定原谅他们了。毕竟，我也是他们的母亲。”

善无畏和哥哥们都站了起来。善无畏上前一步，又对太后提出：“母后，我想了很久，我亲自出征与哥哥们对抗，已经断绝了手足之情。其实父王传位给我，对哥哥们来说，也是一件不公平的事，才会酿成今日的过错。所以，我决定把王位让给大哥，由他来掌管国家。”

善无畏此举让在场所有的人错愕不已，太后更是泪流满面地说："不行！那你怎么办？"

善无畏微笑着回答："我想要出家修行，而且我的心意非常坚定，请母后答应。"

这可是惊天动地的大事，太后哪能轻易答应？连犯错的兄长们也心生不安地推辞："无畏，我们知错了！请你别做傻事。"

善无畏开怀地大笑说："你们都错了！我真的一点儿都不留恋权位。出家以后，我的国家版图又扩大了！每一个地方都是我的国家，而不再只是乌荼国而已。"

身为善无畏母亲的太后这时候反而有种了然于心的感觉，因为她知道这孩子从小就与众不同，他的胸襟宽阔得像一只巨大的老鹰，遨游于整个宇宙中，哪会跟气量狭小的哥哥们计较这么点权位呢？

“但是你告诉我，为什么你决定出家呢？”太后又问。

善无畏沉寂片刻以后，回答说：“为了贪图王位的享受，而让那么多人在战场上牺牲生命，杀戮同族，制造更多的烦恼和痛苦，这是多么大的罪过啊！而这也让我领悟到，真正的和平就是要远离烦恼和痛苦，也就是远离一切让人贪求的财富、权位。所以，我才决定出家。”太后听了大受感动，虽然点头答应了，但暗地里还是交给他传国的宝珠。

这只巨鹰从此开始飞翔了！出家后，善无畏先到南方海滨寺院里学习佛法，之后又乘船游历各国，甚至在唐玄宗开元时期来到中国弘法，不仅为大唐佛教的盛行做出了卓越的奉献，更成为影响一时的伟大国师。

勇闯西域第一沙门

大师密码 Gallant 英勇

三国时期曹魏的朱士行是中国汉士第一位正式受戒的出家人，也是最早公开讲经说法者。他经常在洛阳演讲《道行般若经》，但总是感到遗憾，因为翻译的人对佛经理解得不够透彻，不但文句艰深难懂，而且很多经文还被删略掉了，所以他便立下誓愿要西行取经。

在没有人带路的情况下，朱士行只能自行摸索着前往西域的道路。虽然他终于如愿抵达西域，但却无法再回到汉地，这一去就是二十多年。幸好他用生命换得的《放光般若经》，最后终于能顺利运回汉地，还引发了学者们的研究热潮。

明明知道前往西域生死难料，但朱士行还是毅然决然前往。就是这份求法的勇气，也燃起后来法显、玄奘等大师们西行取经的愿心。

小档案 朱士行

- 国籍：中国
- 别称：西方取经第一人
- 专长：讲说佛经
- 影响：中国第一位出家人、中国最早讲经说法者
- 事迹：冒生命危险，成为最早到西域求法的佛教人物

风季里的沙尘狂吹，于阗国瞬时变成了一片土色的世界。

几个西域胡僧遮头遮脸，神秘地穿梭在葡萄园和市集帐篷间，紧紧跟踪着几个刚从丝路来到此地的外地汉僧，看着他们进入市集旁的一间临时客栈，西域胡僧彼此交头接耳了几句。

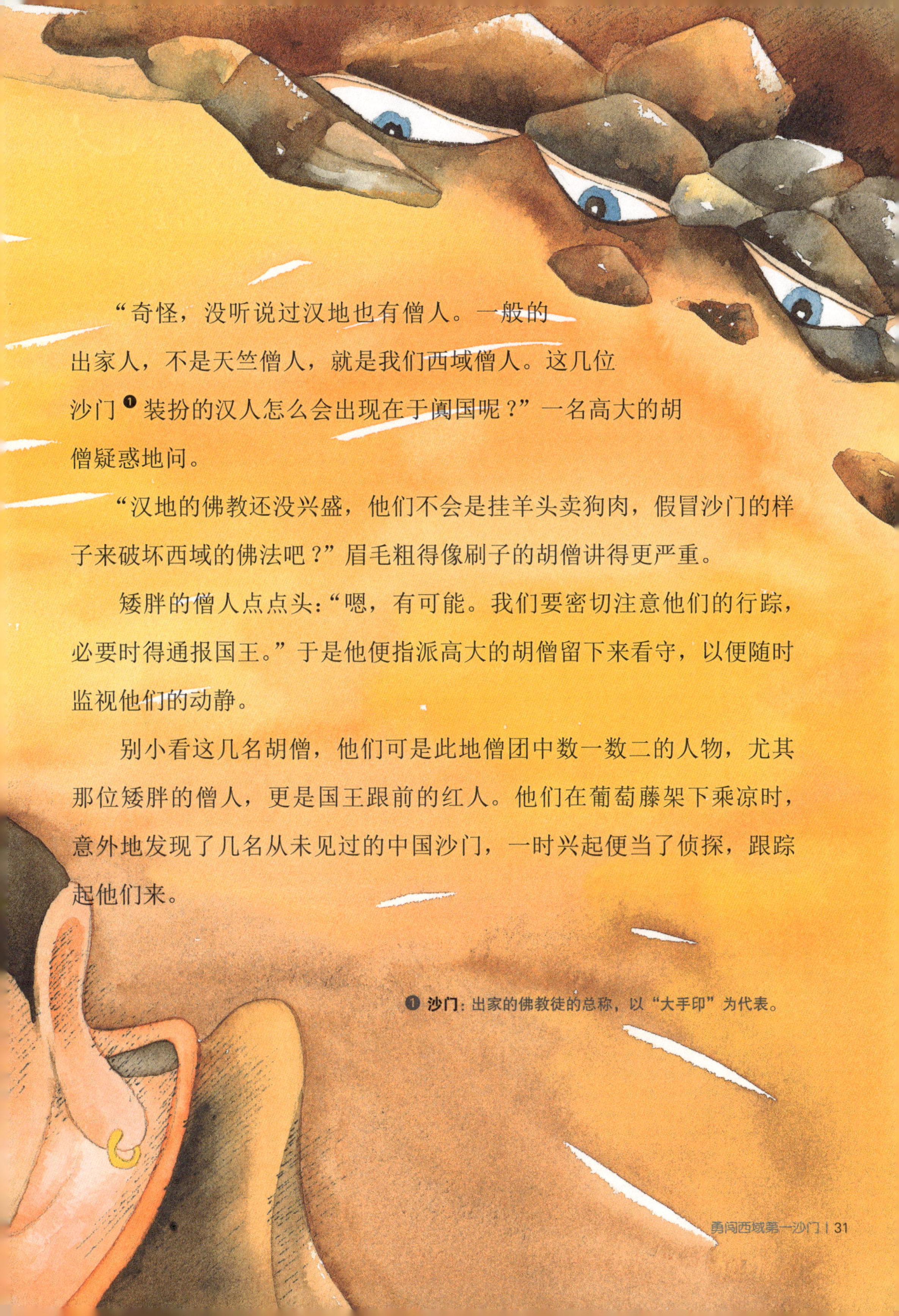

“奇怪，没听说过汉地也有僧人。一般的出家人，不是天竺僧人，就是我们西域僧人。这几位沙门[1]装扮的汉人怎么会出现在于阗国呢？”一名高大的胡僧疑惑地问。

“汉地的佛教还没兴盛，他们不会是挂羊头卖狗肉，假冒沙门的样子来破坏西域的佛法吧？”眉毛粗得像刷子的胡僧讲得更严重。

矮胖的僧人点点头：“嗯，有可能。我们要密切注意他们的行踪，必要时得通报国王。”于是他便指派高大的胡僧留下来看守，以便随时监视他们的动静。

别小看这几名胡僧，他们可是此地僧团中数一数二的人物，尤其那位矮胖的僧人，更是国王跟前的红人。他们在葡萄藤架下乘凉时，意外地发现了几名从未见过的中国沙门，一时兴起便当了侦探，跟踪起他们来。

[1] **沙门**：出家的佛教徒的总称，以“大手印”为代表。

被跟踪的汉僧一点儿都不知情，领头的师父是中国汉地佛教第一位正式受戒出家的朱士行，难怪胡僧以前没见过汉僧，因为他们现在看到的才是第一位。

“师父，您累了！我们历尽千辛万苦，总算抵达了这个西域佛教国度。”一到旅店，弟子赶忙把行李放下。

“为了求法，吃再多沙漠的风沙也是值得的，我们这一趟可说是前无古人。”朱士行是中国汉地最早前往西域求法的僧人，他带着弟子从洛阳出发，穿越险象环生的大漠流沙之地，徒步万里，沿着丝路来到盛产美玉和佛法的于阗国，为的就是将大乘经典带回汉地。

此时的中国汉地，正是魏晋佛教刚传入的时代，原本还不准许汉人为僧，自从朱士行剃度以后，才渐渐形成风气。促使朱士行来西域求法的原因，是佛教经典的残缺不足。

但那些胡僧哪里知道，他们正一头热地跟踪着朱士行师徒，看他们连月来顶着强沙尘，拜访于阗国一间间著名的佛寺。他们每次出来时手中都会多出一包东西。

“那是什么啊？”高大的胡僧问道。

“我猜是佛经。”浓眉胡僧讲得笃定。

“我看更可能是印度教的婆罗门经，就算是佛经，也可能是天竺的大乘佛经。你看，他们去的佛寺都是天竺沙门聚集的地方。”胖矮的僧人说得更是斩钉截铁。

原来这时天竺的大乘佛教已经十分普遍，可是西域僧人，仍然以小乘为主，还是相当排斥大乘经典的，更不用说是印度教的宗教经典婆罗门经了，甚至将二者混为一谈。

朱士行可不清楚这些矛盾，他满心欢喜地捧着刚拿到手的佛教原典《放光般若经》，还跟弟子弗如檀千叮咛万嘱咐：“你赶紧把这些佛经先送回洛阳，再找人好好翻译，小心别弄丢了！”

弗如檀接过佛经，收妥在背篋里，听了师父的话准备朝洛阳的方向返回。师徒还没分手，西域胡僧听到这个消息后，就已经快步通报给于阗国国王了。

“大事不好了！国王，有汉地沙门要把‘婆罗门书’假冒佛经送回国了，如果不查禁他们的话，一定会使佛法大乱。”这几个胡僧跑到国王面前造谣生事。

于阗国国王一听大怒说：“这还得了！这可是破坏佛法的大罪。”于是，他赶紧派人把朱士行师徒拦阻下来，亲自在宫中审问。

“说啊，这是怎么回事？”

“尊敬的陛下，请您明察，这些是大乘经典，绝对不是婆罗门书。”朱士行将佛经摊开来，请国王过目。

但一旁的胡僧则不停地煽风点火：“陛下，别被他骗了！就算是大乘经典，也不是我们传统的小乘学说。”

朱士行并不屈服于胡僧的势力，大声激辩道：“陛下，大乘经典可是佛教的真理啊！”

胡僧又嚷道：“什么佛教真理！陛下，快处死这些假沙门，别让他们扰乱佛门。”

在于阗国，小乘和大乘修行者之间常形成严重对立，每次都要王室出面仲裁，现在这几个汉地沙门又惹出了麻烦。国王被胡僧搅得头昏脑涨，便脱口而出：“来人，把他们拖出去——”

还没说完拖出去干什么，手执武器的士兵已经上前，就在这极度紧张的一刻，朱士行心想：“为了佛法，只好冒死勇敢一试了。”便对国王提议：“等一等！陛下，我有一个主意。我们以焚经来证明这些经典的真伪，假如这些佛经应当在汉地流传，那就不会被火焚毁，否则将被烧光，而我也愿意用我的人头来谢罪。”

“好！”国王和众僧都一致同意。

胡僧冷笑道：“天下哪有纸不被火烧的道理。”

于是士兵们架好木头，用火点燃，再把朱士行所取得的佛经，全部倒进熊熊大火里。说也奇怪，风季里吹得半天高的沙尘，此时突然又出现了，一下子就把燃烧的火苗熄灭了，躺在火堆里的经书完好无损，封皮连一丁点儿火屑也没沾到，这一奇观让围观的人惊讶不已，嘴巴都张得大大的。

“不行，再来一次。”胡僧们虽然胆战心惊，但仍不肯轻易放过朱士行。

国王也被吓得不轻，心想：“也可能是他们运气好。如果这些佛经真不该被焚毁的话，那再试一次也无妨吧！”

粗眉胡僧跳出来，把士兵手中的火把夺走，亲自去火堆里点火。眼看烈火就要烧到佛经了，但不知哪儿冒出的沙尘又迎面扑来。佛经没碰到火，倒是把胡僧的两道粗眉给燎了：“哎哟！”胡僧丢下火把，急得双手往脸上拍去，总算灭了火，可眉毛仍被烧焦了，手掌心也红肿一片。

直到此刻，于阗国国王终于相信了朱士行所说的一切，有惊无险的朱士行得以死里逃生。

国王对朱士行说：“我今天真是开了眼界，去吧！把这些大乘佛典带回汉地吧！”国王还另派士兵特别护送。

朱士行谢过国王的恩赐，他命弟子送回的佛经，果然对当时流行的大乘佛学产生了重大的影响。而他率先受戒出家、西行求法，并无惧于胡僧的胁迫，英勇护法的行为，更为中国佛教史写下了灿烂的一页。

为狗求情

大师密码 Gentle 脾气温和

在刘备、孙权与曹操三国鼎立的争霸战局里，能够受到重用的，一定都是一流的人才。支谦、支亮、支谶当时被公认为最有学问的人，合称“三支”。其中支谦更是人如其名，是位谦谦君子，集老师支亮与师公支谶的学问于一身，深受孙权的敬重，请他当了太子的老师。

支谦原本是大月支人，在汉灵帝时随着祖父归化汉朝。他从小便学习中国经典，及长又通晓多达六国语言，并在老师支亮座下学习佛法，精于佛典翻译，对于佛经的翻译具有自己的风格特色。对于翻译文字力求文丽、简约外，在翻译佛经上，也常用意译代替音译，以帮助理解。因此，对于佛教能够在汉地普及，支谦可是功不可没的“一代智囊”。

小档案 支谦

- 名字：支恭明
- 国籍：中国
- 别称：智囊
- 专长：翻译佛经
- 影响：为重要的佛经翻译家
- 事迹：为咬他的狗求情

天上的云，像魔术师一般，一会儿变成一座巨大的城堡，一会儿又变成一条长长的龙。

七岁的小支谦，双手握着一枝竹马，看着云变化的魔术看得入迷了，忍不住想要飞到天上去。

“小飞马，冲啊！我们去天上跟龙玩吧！”

小支谦拍拍竹马，双脚一跨，假装骑在飞马上，在花园里奔来跑去，以为是在变化多端的云间，随着长龙跃入了城堡。

小支谦玩得太开心了，完全没注意到自己跑到哪里去了。忽然，他的脚一阵疼痛，整个幻想的世界都消失了，他从云端跌回到人间。因为小支谦的小腿被一只狗紧紧咬住，那只狗龇牙咧嘴的，看起来凶狠无比。

原来，小支谦跑得太远了，居然跑到了邻居家挂满金黄色玉米的庭院里。邻居养的狗误以为是来偷玉米的贼，立刻咬住小支谦的腿不放。

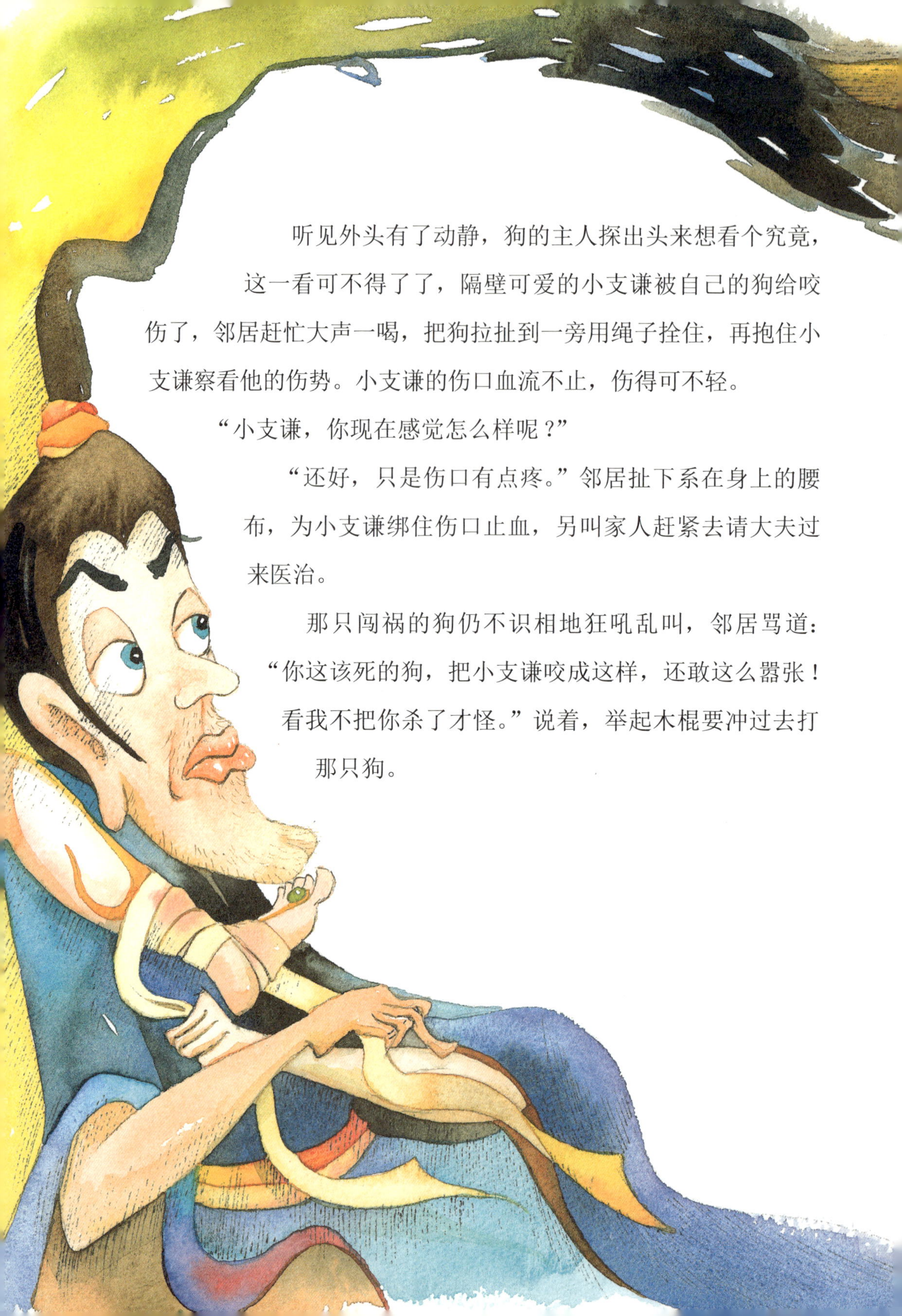

听见外头有了动静，狗的主人探出头来想看个究竟，这一看可不得了了，隔壁可爱的小支谦被自己的狗给咬伤了，邻居赶忙大声一喝，把狗拉扯到一旁用绳子拴住，再抱住小支谦察看他的伤势。小支谦的伤口血流不止，伤得可不轻。

“小支谦，你现在感觉怎么样呢？”

“还好，只是伤口有点疼。”邻居扯下系在身上的腰布，为小支谦绑住伤口止血，另叫家人赶紧去请大夫过来医治。

那只闯祸的狗仍不识相地狂吼乱叫，邻居骂道：“你这该死的狗，把小支谦咬成这样，还敢这么嚣张！看我不把你杀了才怪。”说着，举起木棍要冲过去打那只狗。

小支谦看邻居被狗气成这样，怕他真杀了这只狗，立刻伸出小手拉住他，连忙为狗求情：“大叔，大叔，求您别杀那狗儿，它不是故意的，只是尽看家的本分而已。假如我没有跑来，它就不会冲过来咬我，所以有过错的是我，而不是狗儿。更何况杀生[1]是不好的事，杀了它也不能让我的伤口马上就好了，所以，请您原谅那只狗吧！”

[1] **杀生**：指杀害一切生灵的行为。佛教基于慈悲心，因此在戒律中有“不杀生戒”。

这么小的孩子脾气却这么好，被狗咬伤了，一点儿也不怪它，还替它求情，而且知道杀生是不好的事，真是令邻居感动得快要说不出话来了：“小支谦，你——你真是个好孩子。”

转而对那只狗说：“看在小支谦的份儿上，我就饶你一命，下回看你还敢不敢乱咬人。”原本怕被主人惩罚的狗，这时仿佛也流露出感激的眼神。

小支谦在家人悉心照顾下，很快就痊愈了，他温和善良的美德也传遍了整个村子。不仅如此，大家还知道了这位奇特的小孩儿从小就饱读诗书，长大后一定了不得。果然小支谦长大后，又学胡书梵文，能通六国语言，成为了很有学问的人，人们都称他为“智囊”。

这一年正是汉末的动荡时期，为了躲避灾难，支谦跟随乡人们一起逃往吴地。在逃难的途中，雪花也跟着飘落，又冷又湿的天气让疲累的大家更加苦不堪言。

夜晚，所有人挤在一间破旧的茅屋里睡觉时，支谦也摊开他的棉被正准备就寝，却发现其中一位年轻乡人瑟缩在角落里，他衣着单薄，身体不住地打哆嗦。支谦便喊他："如果你不嫌弃的话，过来跟我一起睡吧，我的棉被可以分你一半。"

年轻乡人一听，满脸感激，他来到支谦身旁，频频道谢："我走得太急了，来不及带棉被。"

支谦回答："没关系，出门在外难免有不便之处，更何况是逃难呢！"

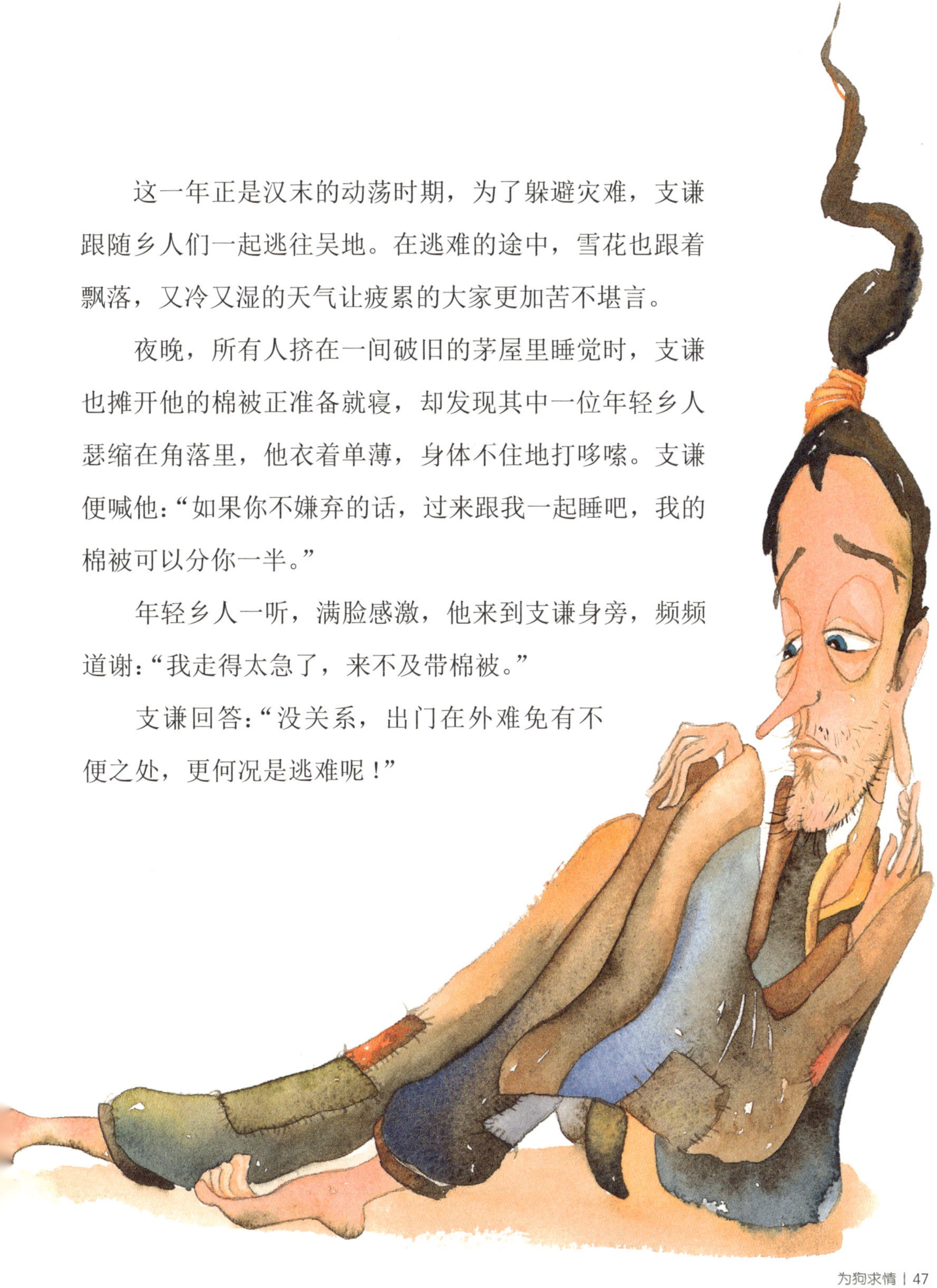

但睡到半夜，却愈睡愈冷，被冻醒的支谦，睁眼一看身上已空无一物，不仅自己的棉被不见了，连年轻乡人也消失了。原来那位乡人把支谦的棉被偷走并趁机逃跑了。

天亮后，同行的其他乡人得知后，都替支谦愤愤不平，领头逃难的乡长大声疾呼："走！我们去追他，不然就去官府告发他，看他能逃多远！怎么可以这样对待同乡的人，而且支谦还分他棉被盖呢！真是忘恩负义的家伙。"

"是啊！没错！我们去追他，把他抓到衙门去。"其他人纷纷应和。

沉默良久的支谦这时说话了：“各位，这件事就算了吧！我如果去官府告发他，依照法令，这个人可能会受到死刑的惩罚。不过是一条棉被，却要赔上一条人命，这未免也太残酷了！”

乡长还是不甘心：“可是他偷了你的被子，你一点儿都不气愤吗？”

支谦微笑着，语气平静地说：“他会偷我的被子，也是迫不得已的吧？谁叫老天爷下这场大雪呢？我的被子不见了已经够倒霉了，如果再因此而气得半死，甚至寻仇结怨，不是更加得不偿失吗？就当作我的被子是借给他吧！这样想，不是能心平气和一些吗？”

大家听了支谦的话后，无不敬佩地感叹：“支谦的脾气真好，要是我的话，才不会善罢甘休。”一群人便打消了心中的不满，继续往吴地赶去。

在吴地避难期间，吴主孙权听说了支谦的才德，便亲自召见他：“你就是那位曾经为狗和小偷求情的支谦吗？你真是一个了不起的人。”

支谦谦虚地说：“哪里，我只是谨记佛法所说的因果道理而已。今天我如果跟别人计较，以后别人也会跟我计较；今天我如果宽恕别人，以后别人也会善待我。”

孙权一听，心中大喜，便向支谦请教佛法的道理，还任命支谦为博士，让他教导自己的儿子，也就是吴国的太子。后来太子死后，支谦便远离尘世，隐居在山间，只和出家人往来。他自己也像是一位出家人一样，专心潜修佛学，还翻译了许多重要的佛经，成为中国佛教史上著名的翻译家。

最好的报恩方式

大师密码 Grateful 感恩

如果没有遇到玄奘大师，窥基可能会跟将军父亲尉迟宗一样从军。运气好的话，可以一战成名；运气坏的话，可能战死沙场。幸好遇上了玄奘，让他的“人生战场”转移到“佛经译场”，从此一生所为都是利生事业。

窥基十七岁随玄奘大师出家，二十五岁随侍玄奘参加译场。不但尽得大师的真传，并且开创了新的译经方式。窥基平日除了协助大师翻译外，还在大师的指导下，对于新译经典更是做了详细的注疏，被称为“百部疏主”。

当玄奘大师圆寂后，窥基被视为是继承者不二的人选，成为唯识宗初祖。由于窥基在大慈恩寺弘扬唯识学，所以被尊称为“慈恩大师”。窥基集毕生之力推广唯识学，真正是报了恩师玄奘的大慈恩！

小档案 窥基

- 名字：尉迟洪道
- 国籍：中国
- 别称：百本疏主、慈恩大师
- 专长：翻译佛经
- 影响：唯识宗初祖
- 事迹：弘扬玄奘大师所传的唯识学

玉华宫译场[1]的双李树，一向在译经时盛开的花朵忽然全部凋谢了。窥基看着落地的花瓣，眉头一蹙忧心地想："糟糕，不会是师父他老人家——"

前两天卧病在床的玄奘[2]师父还笑着跟他告别，说梦见了白莲华前来迎接他："我将要往生弥勒净土了，弘法大业就交给你了！"玄奘握着窥基的手，神情十分平静，似乎对人世的一切都了无遗憾。

窥基冲到玄奘大师的房间，看着玄奘大师安详的脸，仿佛只是睡着了，他擦拭着眼眶里盈满的泪水，脑海里浮现出第一次看见这张安详的脸的情形……

❶ **译场**：翻译佛经的工作场所。

❷ **玄奘**：唐代高僧，因为他精通佛教的经、律、论三藏，熟知所有佛典，世称唐三藏。他是中国非常杰出的译经家，也是唯识宗的创始人。

长安城的朱雀大街，密密麻麻的人潮一路连接到最热闹的西市。一位贵族装扮的英俊少年，很罕见地出现在这庶民聚集的地区。所有经过的人都忍不住多看他一眼，就连一位中年和尚也被他吸引住目光。

少年转头也看见了中年和尚，心想："这和尚看起来很有智慧哩！"之后顺手一掏就是一个银圆，想要布施给他。

和尚却笑着婉拒，他对少年说：“把它布施给更需要的人吧！我是在弘福寺译经的玄奘，很幸运地得到皇帝的供养。”

少年一听眼前站着的竟然是赫赫有名的玄奘大师，赶紧顶礼说：“我是尉迟宗将军的儿子尉迟洪道，何等荣幸能够在这里巧遇大师！”

玄奘回答：“哪里！果然是将门的后代，落落大方，气宇非凡。”

从天竺取经回国后的玄奘，除了致力于译经的工作外，也一直在寻找优秀的人才一起加入译经的行列。而路上巧遇的这位杰出少年，他愈看愈满意，不禁暗忖：“如果有缘可以度为弟子的话，佛教的未来就有指望了！”

后来玄奘大师果真和尉迟宗商量，希望能让他的儿子出家，尉迟宗迟疑着说：“我们家世代都是武将，这孩子恐怕过于粗率，不堪受教。”

玄奘大师笑着说：“像他这样的气度，只有将军您，才生得出这样的孩子，也只有我，才能度化他。”

向来对儿子的教育很宽容的尉迟宗听了很高兴，也没表示反对：“那就看他自己的意愿了！”

结果反而是尉迟洪道不乐意，慧黠活泼的他还故意为难玄奘大师："要我出家可以，但是有三个条件：第一我不吃素，第二我不能过午不食，第三我不断男女之情。"他心里暗自得意："这样，玄奘大师就不会叫我出家了吧？而且我也算没拒绝他。"

只是令尉迟洪道万万没想到的是，爱才心切的玄奘竟然同意了，他想："这孩子既然愿意出家，其余的就等出家后再好好教化他吧。"

得到玄奘爽快的答复，生性直率又充满好奇心的尉迟洪道竟也不假思索地说："好啊！那就出家吧！"

尉迟洪道出家后法名为窥基，至今他还记得，他出家的那一天是何等风光，满朝文武百官欢送他到长安兴善寺。他心底对家还是有点恋恋不舍，但慈蔼的玄奘大师一路领着他，让他有种安定的感觉。跨过寺门后，佛寺的钟鼓忽然齐鸣，声音响彻云霄，说来也怪，仿佛把他心中的忧恼一并敲碎。尉迟洪道顿时领悟了，明白他是为了来帮助玄奘大师弘扬佛法的，而那三个条件便像断线的风筝一样升上天空不见了。

以窥基的才华，没几年便学会了梵文，他跟在玄奘大师身边，参与过好几个大型译场，玄奘非常疼爱这孩子，更欣赏他的多闻聪慧。

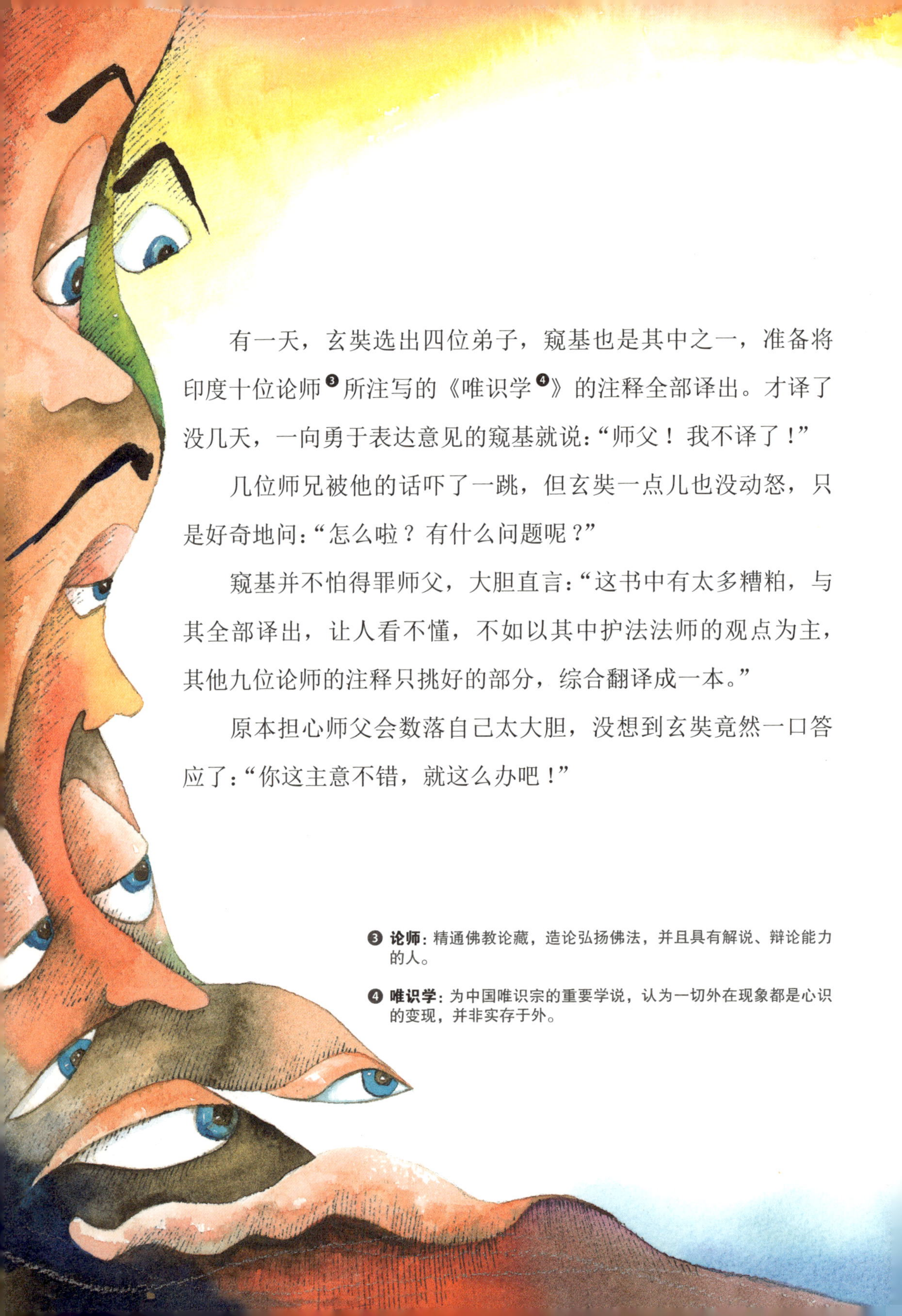

有一天，玄奘选出四位弟子，窥基也是其中之一，准备将印度十位论师[3]所注写的《唯识学[4]》的注释全部译出。才译了没几天，一向勇于表达意见的窥基就说：“师父！我不译了！”

几位师兄被他的话吓了一跳，但玄奘一点儿也没动怒，只是好奇地问：“怎么啦？有什么问题呢？”

窥基并不怕得罪师父，大胆直言：“这书中有太多糟粕，与其全部译出，让人看不懂，不如以其中护法法师的观点为主，其他九位论师的注释只挑好的部分，综合翻译成一本。”

原本担心师父会数落自己太大胆，没想到玄奘竟然一口答应了：“你这主意不错，就这么办吧！”

[3] **论师**：精通佛教论藏，造论弘扬佛法，并且具有解说、辩论能力的人。

[4] **唯识学**：为中国唯识宗的重要学说，认为一切外在现象都是心识的变现，并非实存于外。

像窥基这样的千里马，最需要的就是了解他的伯乐了。得到师父全力的支持，窥基感动得说不出话来。玄奘大师不但同意窥基的建议，还辞退了其他三位僧徒，专为他一人译讲，后编译成十卷《成唯识论》[5]。从此，窥基对于译经的工作更是乐在其中了。

每天黄昏，玄奘大师都会花两个时辰为弟子们讲经，而且他也鼓励从事翻译的僧徒们亲自批注佛经。通过这样的方式，玄奘大师在印度所学可以的佛学深入到弟子们的心中，而窥基更是当时编写批注最多的一人，其中很多都是玄奘亲自指导而成。师徒间的默契与信任，没有人可以取代。只可惜批注的工作还没完成，玄奘大师就过世了。

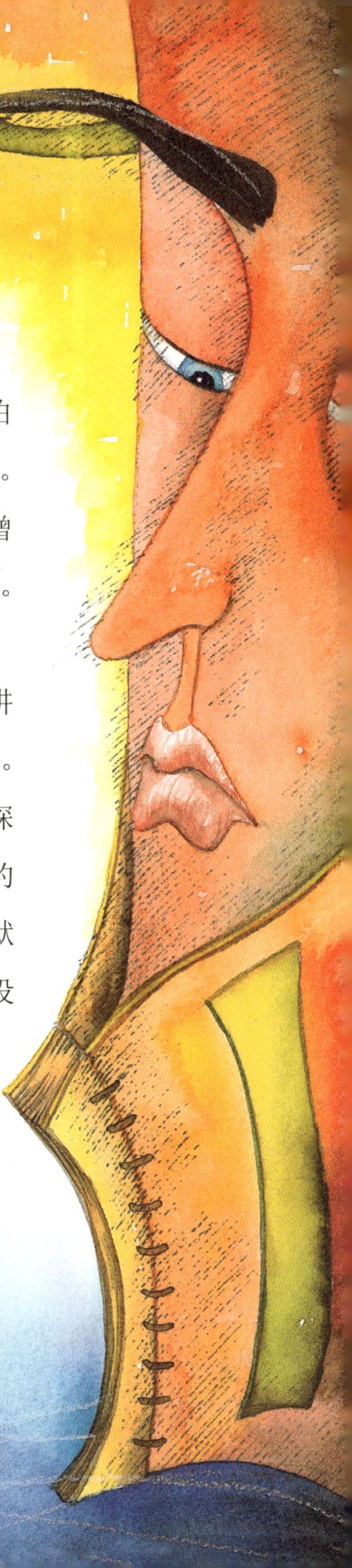

[5]**《成唯识论》**：为《唯识三十论颂》的注释书，是法相宗所依据的重要论书。

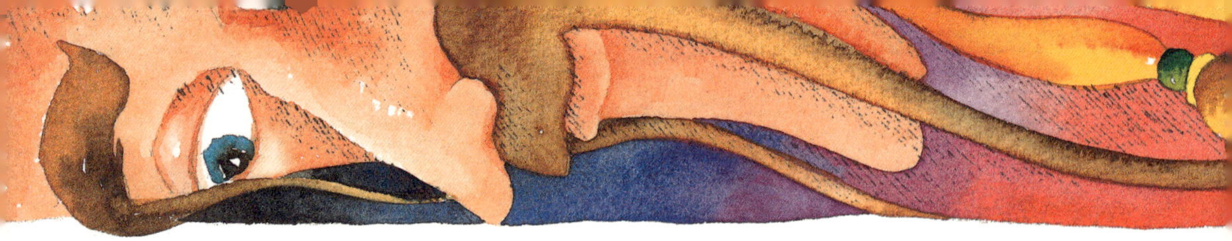

当玄奘大师以国丧的方式被隆重厚葬后，庞大的译经事业立刻中止了，一群译经的弟子们感到手足无措，有的打道回府，有的转去别的道场。一名僧人看着什么动静都没有的窥基问：“窥基，你不走啊？”

窥基摇摇头，回答说：“师父译经十九年，虽已译出大量的佛经，但我们这些僧徒们批注的工作还没完成，所以我要回到大慈恩寺继续努力。”

面对人去楼空的译场，窥基不免感叹：“我怎么能走呢？我走了，师父远赴印度传承的唯识学不就荒废了么？”

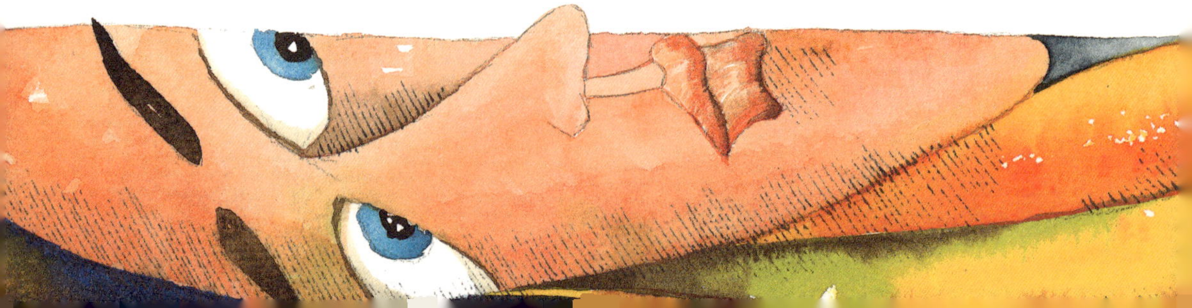

重新回到大慈恩寺的窥基，努力将玄奘大师所奠定的唯识学基础，加以发扬光大。他整理出师父的学说四处宣讲，还不断批注。许多人都视他为玄奘大师的继承者，成为奘门权威，后来甚至创立了唯识宗[6]，受到全国人民的景仰。而窥基这一切的努力，无非是要报答师父的知遇与栽培之恩啊！

❻ **唯识宗**：又称法相宗、慈恩宗，为中国佛教十三宗之一，日本八宗之一。以中国唐代玄奘法师为宗祖，是主张一切唯识之旨的佛教宗派。

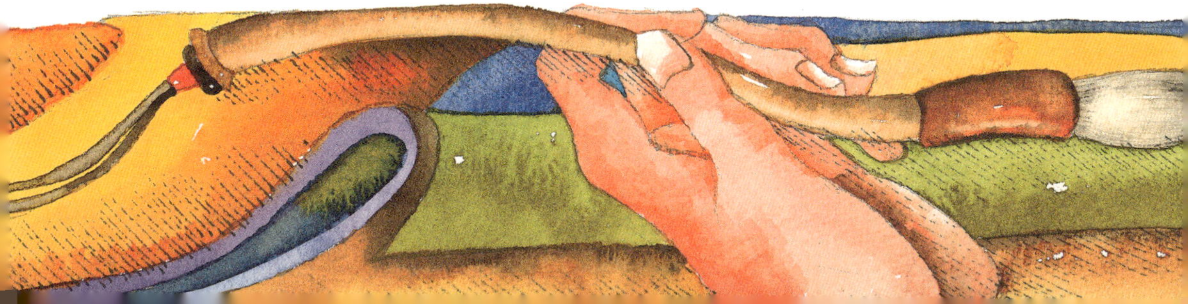